KB016988

흑막 용을
키우게 되었다

I raise a black dragon

2

글 · 그림 ❈ 소 탄

원작 ❈ 달슬

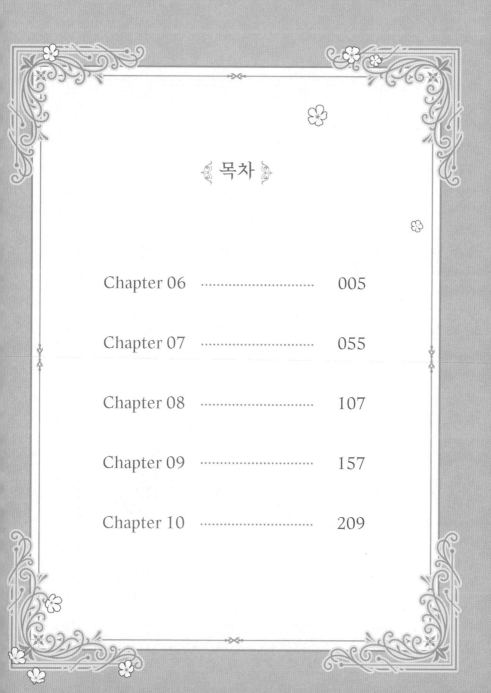

목차

Chapter

06

출발
5분 전입니다―!

승객분들은 빠르게
탑승해주십시오―!

파
앗

지금 내가 있는 곳은 두 번째 칸이니까….

출반 전에 아홉 번째 칸으로 넘어가려면 빨리 이동해야겠군.

아저씨다.

경, 경! 여기예요!

여기!

완벽하군요. 정말 안 보이는데.

그러게 말이에요.

그래서 감시자들은 다 탔나요?

예. 세 명은 에드망 칸에 탔고, 나머지 세 명은 바투아누 칸에 탔습니다.

그 세 명도 에드망 쪽으로 올 겁니다.

그 전에 움직이는 게 좋겠군요.

자, 어서 저쪽으로…

!

샤앤

살랑…

사람이 이렇게 많은데 대놓고 목을 노리다니….

두근 두근

두근 두근

괜찮습니까?

9

두근

주⋯
죽을 뻔⋯

괘⋯
괜찮아요.

투명 마법이
걸려진 당신을
정확히 노린 걸 보아
상대는 마법사인
듯합니다.

두근

두근

율렘에
마법사도 있어요?

로랑에선
마법적 능력이
있는 자는 마법부에
등록하도록
하고 있고,

모든 마법사를
마법부에서
철저하게 관리하려
합니다만⋯

어느 법에나
빈틈이
있기 마련이죠.

점점 가까이
오고 있어요.

이런

⋯⋯.

이대로는
더 못 가겠습니다.

같이 움직이는
것도 무리군요.

네?
그럼 어떻게…

처음 계획대로
못 간다면
할 수 없이 위로
가야겠군요.

위, 위라니.

설마
기차 위로…

아직 속도가
제대로 붙지
않았습니다.

철로가 루나젤과
세잔의 경계에서
갈라지는 곳까지는
쭉 이 속도를
유지할 겁니다.

기차 위에서
움직이는 게
불가능할 정도는
아니죠.

헐끔…

……

추쿵
추쿵

추쿵

추쿵

11

히이익…

정 안 될 것 같으면 뮤를 본체로 돌려놓으십시오.

그 순간 당신이 용주라는 걸 이 기차에 탄 2백여 명이 알게 되겠지만…

이익…

제가 안 그럴 거 아시고 그렇게 말하시는 거죠?

할게요, 한다고…!

끼이익

으윽, 바람….

스…

자, 올라가십시오.

으…

머뭇…

고민하실
시간 없습니다.
노아 양.

철컥

철컥

꼭…

덜컹
쾅

!!

엉금…

휘이이이잉

13

휘이이이이잉

우우

끄아아악!

샥

뮤! 조심해야지!

샤아아아...

!

이런... 뮤의 집중력이 흐트러졌나?

마법이 풀렸어...

엉금...

엉금...

뮤, 빨리 가자!

탕탕탕

히익...!

경…!

자, 한 칸만 더 가면 됩니다.

네…!

휘이이잉…

아….

따뜻해서
안심이 돼….

탁…

경!

경도 어서
오세요!

…노아 양.

잠시 떨어져서
이동하는 게
좋겠습니다.

네?

전 아무래도 저자들을 떼어놓고 가야 할 것 같습니다.

사흘 후 정오, 바투아누 역에서 봅시다.

......!

혼자라니 무섭다.

여기까지 오는 것도 힘들었는데

바투아누까지 혼자서…?

......

사흘 후···
정오.

탕!!

행운을 빕니다.

휘이이

이잉

노아 양.

끄덕...

네!

뚜벅...

슥

칩이
박혀 있어.

다음 역은 한 시간
뒤에, 도착하는
리스테스,
리스테스 역입니다.

리스테스부터
에드망까지는
급행으로 운행되오니
승객들께서는
목적지를 확인해
주시기 바랍니다.

뚜벅

뚜벅

이 난리를
피웠는데도
평온한 목소리군.

뚜벅...

철컥

!

당신.

로랑 철도청
소속이
아니군요.

!!!!

뚜벅

뚜벅

쿠당

으아아아악

이 기차, 어디로 가고 있는 겁니까?

에드망 방향도 아니고, 루나젤 방향도 아닌데.

말하십시오. 당신 손목의 칩은 방금 망가졌으니.

으, 으,

으윽… 으아아…

……!!!

빠

악

마법부 소속 배지가 달린 걸 봤어….

무슨 명령을 받았지?

에, 엘레오노라 아실 포획 작전이었어….

포획? 암살 계획이 아니고?

그 여자를 율렘에서 암살한다니, 말이 안 되잖아….

중얼

중얼

율렘에서 아실 남작을 암살하는 게 말이 안 된다?

그 의뢰를 받기 전까지는 그녀에게 접근할 기회가 없었습니까?

그, 그래…

미쳤다고 그 여자를 건드려?

아실 남작을 죽인 건 율렘이 아니군….

포획 작전을
꾸민 건
마법부 소속의
누군가다.

지난 몇 년간
잠잠하다가
엘레오노라 아실이
소렌트에서 벗어나
활동하기 시작한
바로 이 시기에?

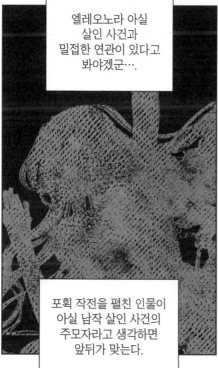

엘레오노라 아실
살인 사건과
밀접한 연관이 있다고
봐야겠군….

포획 작전을 펼친 인물이
아실 남작 살인 사건의
주모자라고 생각하면
앞뒤가 맞는다.

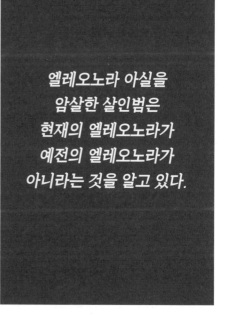

엘레오노라 아실을
암살한 살인범은
현재의 엘레오노라가
예전의 엘레오노라가
아니라는 것을 알고 있다.

그리고 그것은 그 살인범의 계획에는 없던 일이다.

하여 그 살인범은 율렘을 고용하여 엘레오노라의 몸을 입은 노아를 포획하고자 한다….

라고 볼 수 있겠지.

거추장스럽군….

스윽

노아 양은
혼자서
괜찮으려나.

아니, 아니.
노아 양의 옆에
붙어 있는 건
지고한 용이다.

내가 걱정할
일이 아니겠지.

탁
탁

대장님!

탁

…아.
벌써 상황 전달이
되었나?

탁

탁

바투아누행
기차로부터
비상 연락을
받고 왔습니다.

그쪽 승객에게
신고가 들어왔다고
해서…

훗…

당장 장관님께
율렘과 마법부의
유착 관계에 대한
수사권 요청서를
올려.

마법부와
율렘이요?

훗?

그래. 비밀리에
진행되도록
신경 써.

기차에 손을 쓴
마법사가 누군지도
알아보고.

네!

'훗'…?

아, 삭신이야….

체력이 이렇게 금방 바닥나다니. 빨리 수도에 가서 레니아와의 공명을 끊어버려야지.

무사히 테제바에 도착할 수 있다면 말이지만…

사흘 뒤 정오,

바투아누 역에서 봅시다.

무사히 재회할 수 있을까…

……

절레

절레

그 사람은 베테랑이야. 내가 걱정할 처지가 아니지.

금방 따라오겠지, 뭐.

지금은 날 걱정해야 할 때야.

바투아누까지 하루 이상은 걸리니 그때까지 좀 쉬어둬야지.

부스스...

뮤,
뭐 보고 있어?

하늘이요.

어두워지면
반짝거려요.

저건
뭐라고 해요?

아.
별을 말하는
거구나.

하늘에 저렇게
스스로 빛을 내면서
반짝거리는 건
별이라고 해.

알 속에서 봤던 것과 비슷해요.

정말? 뮤가 알 속에서 봤던 건 뭐였을까?

신기하다.

직장인 박노아였던 시절에는 너무 바쁘고 체력도 없어서 하늘 한번 올려다 볼 생각을 못 했는데

기차에서 이런 깨끗한 밤하늘을 구경할 날이 오다니.

인생은 참 알다가도 모를 노릇이다.

물론 무서운 사람들에게 쫓기고 있긴 하지만….

똑 똑

음?

이 시간에
대체 누가…

누,
누구세요?

그쪽이야말로
누구십니까?

전 이 객실의
승객인데요.

네?

어머니, 뭔가
착오가 있었나 봐요.
저는 분명
맞게 예약했는데…

으이구, 그러게
잘 확인해
봤어야지.

거기, 저. 아가씨?
자리가 남으면
동석할 수 없을까요?

그, 그건 좀….

미안해요,
근데 이 객실
말고는 빈자리도
없다고 하고…

저희도 여길
예약한 게 맞아서
다른 데 탔다가
들키면 문제가
될 것 같은데…

어떻게
안 될까요,
아가씨?

…….

35

목소리로 봐선
어르신 같은데…
거절하기 좀 그러네….

…그럼 일단
들어오세요.

정말 고마워요,
아가씨.

감사합니다,
레이디.

아이가
있으셨군요.

네에….

왜 옆에
앉는 거야?

반짝…

뭐 저렇게
생겼어?

내가 카일 레너드
얼굴 보고도
안 놀란 사람인데…

엘리.

오랜만이네,
그치?

네?

어라?

그 웃긴
안경은 뭐야?

언제 단둘이
된 거지?

그 노인은
어디로 갔지?

힐끔..

그냥 시시한
마법이잖아,
엘리.

그나저나 나랑은
정말 연 끊기로
한 거야?

엘레오노라의
친한 지인인가?

그럼
나 서운해….

꾹..

내가 너
목 안 매달리게
도와준 것만
몇 번인데….

히이이익

어, 어떡하지?

뭐라고 해야
이 상황을 무난히
넘길 수 있지?

…….

…미안한데.

너 누구니?

기억상실증 걸린 엘레오노라인 척 ……!!!

누군데 남의 객실에 처들어와서 이 지랄이야?

안 그래도 피곤해 죽겠는데, 별게 다 신경을 건드리네.

그럴 리가 없는데…

뭘 그럴 리가 없어. 초면에 반말 찍찍 하는 거 참 거슬리네.

너 누구야. 너 몇 살이야?

아야야야.

네 친구이자
애인이고,

생명의 은인인
동시에 세상에서
너를 가장 잘 아는
인간이지.

우리 꽤 좋은
파트너였잖아?

더듬...

아마
카일 레너드보다
더.

탁

내가 잊어버린 게
꽤 많은데, 네가 하나도
기억 안 나는 걸 보니
꽤 형편없었나 보다, 너.

엘리…

정말 다
잊어버렸구나….

나랑
다시 시작해보면
그런 소리
못 할 텐데.

중얼...

귀찮게
질척거리지 좀
말아줄래?

41

뮤는 왜 이렇게 화가 났지?

으르르르...

너 정말 누구야?

누가 알겠어, 내가 기억 잃은 걸 알고 애인이었다고 거짓말하는 변태일지.

그건 내가 할 말이야, 엘리.

나야말로 네가 누군 줄 어떻게 알아?

그냥 나를 놀려먹으려는 건지, 정말로 나에 대해 다 잊어버린 건지, 아니면…

웬 딴 사람이 엘레오노라를 쫓아내고

대신 그 몸에 들어앉은 건지.

내가
어떻게 알아?

......

미안, 미안.
정말 엘레오노라인지
확인만 해본 거야.

두근 두근 두근

정말 엘리가
맞나 보네.

해치려던 건
아니야. 알지?

근데 진짜
이 애는 뭐야?
내 마법을 어떻게
막은 거지?

으르르르릉

으르르릉...

진정해,
진정하자,
박노아!

...알 거 없고,
이제 좀
나가줄래?

딱

휘리
리릭

44

넌 내 심기를 너무 많이 건드렸어.

깐아

악

나가!

뻥

야, 엘레오노라! 내가 누군지 궁금하다며!

콩콩콩

이제 안 궁금해.

뮤, 저 남자가 들어오려고 하면 알려줄 수 있어?

응!

어째 소렌트를 떠나는 순간부터 지뢰의 연속이냐…

무사히 수도까지 갈 수 있을까….

에취!!!

짹짹
짹짹...

끼익...

우리 기차는 이번 역에서 잠시 정차합니다.

내일 오후에 출발하오니, 승차 시간을 준수해주십시오.

빨리 수도까지 가야 하니 굳이 내려서 묵지 않으려고 했는데…

어쩔 수 없이 내렸다 가야겠군.

아.

안녕?

안녕, 안녕?

네가 쫓아내는 바람에 밤새 복도에서 잤어.

감기 걸렸어? 여긴 외진 마을이라 제대로 된 병원이 없을 텐데.

엘리, 어디로 가는 거야? 여관으로 가는 거야?

빠 직...

뮤.

!

앗.

아앗—

엘리, 잠깐만~

흐...

휴… 이제 좀 쉴 수 있겠군.

아—
이제 좀 살 것
같다.

털썩…

…레너드 경은
잘 있을까.

…….

뚜루루루

뚜루루루루

네, 수사 보안국
세잔 지부입니다.
무엇을 도와드릴까요?

아,
안녕하세요.

루나젤 지방의
수사 보안국으로
연결해주실 수
있나요?

예, 잠시만
기다려주십시오.

수사 보안국
루나젤 지부입니다.
무엇을 도와드릴까요?

안녕하세요,
어제 오후에
에드망행 기차에
테러범이 있다고
신고한 사람인데요—

아, 그렇군요.
잠시만요.

응…?
뭐지?

달각…

—여보세요.

노아 양?

!

레너드 경! 어떻게…

테러 신고를 한 사람이 다시 전화를 하면 제게 연락을 돌리도록 말해놨거든요.

아— 그렇구나…

무슨 일인가요? 뭔가 문제라도 생겼나요?

레너드 경… 저 아파요.

예?

감기 걸린 것 같아요. 근육통도 있고, 어깨는 멍들었고─

울컥...

원래 면역력을 기르려면 가볍게 아파보는 것도 나쁘지 않습니다.

할 말이 그것밖에─

약은 드셨습니까?

...걱정해주시는 거죠? 이왕 걱정하는 거 앞에 잔소리는 좀 빼주시면 안 돼요?

버릇 나빠지니 안 됩니다.

전화한 걸 보니 잠깐 내렸나 본데, 세잔 중부입니까?

네, 좀 씻으려고
내렸어요.
경은 언제 오세요?

그건 언제
해결되는데요?

지역 철로에
마법 수식이
걸려 있어서,
당장은 못 갑니다.

모릅니다.
어제 테러에
로랑 마법부가
얽혀 있다는 정황이
드러났습니다.

덕분에 마법부에
협조 요청도
못 하고 있는
상황이라서요.

현재
마법부 장관이
자리를 비우기도
했고요.

바투아누에
도착하고 별일이
없으면 먼저
수도로
올라가십시오.

레니아 발테이어
영애는 치안대에서
감시하고 있으니
걱정 마시고요.

알았어요, 경.

보고 싶으니까
빨리 오세요.

네.

…네?

전화 시간
다 됐다.
이제 끊을게요.

뚝

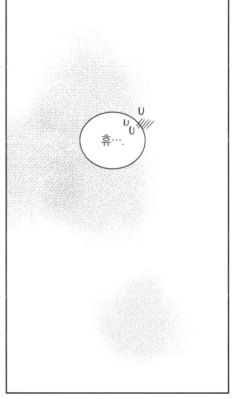

휴….

Chapter

07

되게 맛있겠다, 그치?

와아—

주문하신 음식 나왔습니다—

…그런데 너,

너 스토커야?

대체 언제 꺼질 생각이야?

스토커라니⋯ 사랑하는 애인이 걱정돼서 따라온 건데.

네가 기억하지 못한다고 우리 사이가 없었던 일이 되는 건 아니잖아.

내가 대체 왜 너처럼 봐줄 만한 거라곤 얼굴뿐인 놈이랑 사귀었는지 모르겠다.

아드리안.

⋯뭐?

아드리안. 내 이름이야.

계속 야, 너,라고만 부르길래.

흠⋯

어디서 들어본 이름 같은데⋯.

아드리안.

아드리안.
쓸데없이
이름은 예쁘네.

아드리안,
너 말이야, 나랑
헤어졌다고 했지.
2년 전에.

그랬지.
황성 앞에서
대판 싸우고.

나한테 혹시
아직 미련 있어?

글쎄, 이런 걸
미련이라고
해야 할까.

포기해,
이 바보야.
네가 사랑하던
여자는 이미
죽었으니까.

58

뭐가 남기는 남았다는 말이네.

근데 이제 그냥 포기하는 게 나을 것 같아.

나는 옛날의 기억도 거의 잃었어. 네가 알던 옛날의 그 사람이 아니라고.

쟁그랑~!!

아, 조심 좀….

이런….

얘 완전
엘레오노라한테
진심이었나 본데?

내가 지금
상처 준 건가?

…방해 안 할게.
널 해치거나 위협할
생각도 없어.

그냥…

그냥 나한테
기회를 좀 줘…

……

……

따라오는 건
맘대로 해.

대신 공짜는
아니고,

나 대신 밖에
저 감시자들 좀
처리해줘.

지금 붙은
감시자들 외에도,
앞으로 들러붙을
사람들까지 다.

일반 승객한테
피해 주지 말고
조용히 처리해주면
고맙겠어.

…그래.

바투아누.

와아—.

바투아누는
처음 와보네.

찰싹...

저리 가. 노아가 싫어하잖아.

퍼 퍼

퍼

싫어하다니. 아무 반응 없는데.

노아는 싫어지는 게 정도를 넘으면 귀찮아 해.

째릿...

노아는 지금 네가 귀찮은 거야!

ㅋㅋㅋㅋㅋ

뮤…

후후…

요즘 말이 많이 늘었네.

어디 보자….

우선 병원부터 갔다가, 바투아누 치안대에 들러서 레너드 경한테 연락하고…

그다음 내일 오전에 출발하면 되겠다.

바투아누에서 테제바까지는 가는 여객선도 있어.

여객선?

날씨에 따라 소요 시간이 들쭉날쭉하기는 하지만 시설이 더 호화로우니까.

상주 의원도 있고, 식사도 기차보단 낫지.

흠….

어때?

흠…

64

아냐, 그래도 여기서 하루 더 쉬고 기차를 타고 올라가는 편이 나아.

왜?

나 뱃멀미해.

반박할 수 없는 이유로군.

배에서 습격이 일어나면 손쓸 도리가 없잖아.

그리고 무엇보다….

무엇보다?

그 소리는 뭐야? 계속 울리는데.

아, 호출기. 날 찾는 사람이 오늘따라 좀 많네.

인기가 많은가 보네. 널 애타게 찾는 곳으로 가지 그래.

원래 오라면 안 가고 싶어지는 법이지. 가라면 있고 싶어지고.

그것 참 유감이네….

또각...

우리 왜
헤어졌어?

이제 와서 왜
그런 걸 물어?

궁금하지도
않으면서.

왜 그렇게
생각하는데?

그 정도는
얼굴을 보면
알아.

어라

지금
노려본 건가?

왜 헤어졌냐고
물었지.

정말로
네가 나한테
한 짓들은 전부
잊어버렸구나.

근데,
엘레오노라.

네가 잊었다고

네가 나한테
한 짓들이 없던 일이
되는 건 아니야.

그러니까 나한테
너무 매정하게
굴지는 마.

예전이나 지금이나
너 좋다고 매달리는
남자가 세상에
나밖에 더 돼?

떨떠름...

......

엘레오노라에 대한
아드리안의 감정엔
사랑만 존재하는 건
아닌 것 같다.

연인끼리
이런저런 일을 겪으면
여러 감정이 생겨나는 건
당연한 일이지만….

아드리안이
엘레오노라 살인 사건과
관계가 있을 수도
있겠어.

나중에 카일한테
말해 봐야지.

짜악 짜짝 짜짝...

네? 어째서죠?
티켓은 어제
끊어 놨는데요!

지난 테러 때
바투아누행 열차에도
테러범들이 잠입해
있었다고,

부득이하게
전체 철로를
전부 재수색하고
있답니다.

죄송합니다. 레이디.
에드망에서 발생한
기차 테러 건으로
로랑 전국 철도망에
마비가 왔어요.

그럼 언제
정상 운행되는
건가요?

그게…
잠정 중단인지라
저희도 언제 다시
운행이 될지는…

하아….

찌르릉

뚝.

……

물어봤는데, 기차 운행이 중단돼서 여객선에 사람들이 엄청 몰렸다나봐.

일단 오늘 내일은 여기서 묵어야겠어.

네!

이틀이나 지내야 하니 넓은 방으로 옮기는 게 낫겠어.

야, 금발. 넌 딴 방 써.

엘레오노라가 돼서 좋은 점은 돈이 넘칠 정도로 많다는 거지. 후후후

우와— 생각했던 것보다 호화로운데?

와一아

침대도 넓고—

푹신...

요 며칠 계속 기차 타고, 걷고, 좁은 침대에서만 잤는데…

오랜만에 이런 좋은 침대에 누우니까 살 것 같다….

…….

나흘 뒤.

에취!!!

독감 걸림.

노아…
괜찮아요?

괜찮아, 헉헉…
그냥 며칠
누워 있으면 돼….

안절

부절

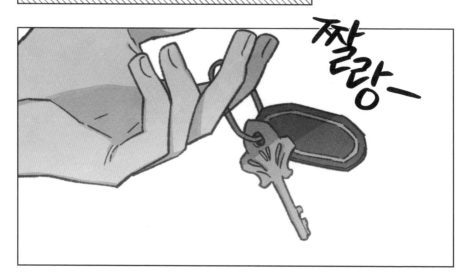

쨀랑〜

뚜벅

뚜벅

끼익..

엘리, 자?

살짝...

그럴 리가
없는데,
엘레오노라.

네가
내 기억 속의
그 여자일 리가….

뺨이 뜨겁네.
왜 온종일
두문불출하나
했더니.

아파서
그랬나.

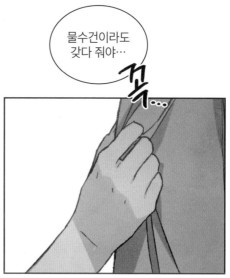

물수건이라도
갖다 줘야…

꾹…

웅얼…

집사님…
언제 왔어요?

집사님?

집사님이라니?

알 실종 사건
전담 수사관으로서
카일 레너드가
엘레오노라를
찾아갔었다는데.

둘이 언제
그렇게 친했다고?

혹시 그자를
말하는 건가?

집사님….

대체
얼마나 가까운
사이인 거야?

음…

씻을래….

씻을래???

아프다고?
며칠 전에 감기에
걸렸다고 하더니.

그게 아직도
안 나았어?

흘쩍
흘쩍

으응….

울지 말고.

아저씨, 언제 와요?
노아가 죽으면?
아저씨도 같이
죽여버릴 거야…

불뚱이 왜
나한테 튀지?
노아가 아픈 건
엄밀히 말하면
너 때문이다.

우….

울쩍…
울쩍 울쩍…
흐앙…

아니, 아니야.
네 탓 아니니까
울지 마.

아저씨가
말실수했다.

울지 말고,
일단 노아는
푹 자게 놔둬.

내일 중으로
도착할 것 같으니까.
알겠니?

으응….

울쩍…

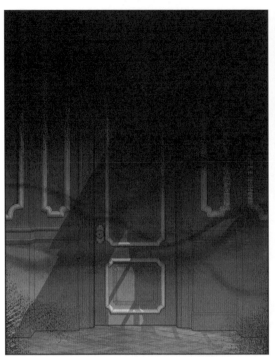

끼익‥

그대로
걸어서 나가.

…돌아온 줄
몰랐는데.

용을 뵙습니다.

인간들은 다들 눈치가 빠른가 봐.

저는 그렇게 무딘 인간이 아니랍니다.

마법에 능통하기도 하고요.

노아가 정체를 들키지 말랬는데.

벌써 두 명한테 들켜버렸어.

어떡하지.

죽일까….

쾅

슥…

딴소리 말고
대답해.
언제부터 알았냐고.

하하,
엘레오노라.
어쩐지.

너…

각인이
완전하지 않구나?

그래서 마법도
제대로 못 쓰고,
마력도 감당하지 못하고
몸만 축나는 거군.

어쩐지,
용의 주인이라기엔
지나치게 존재감이
옅더라니….

…뮤,

쟤 내보내.
다시는 이 방에
못 들어오게 해!

!

쫘

앙

음?

?

??

?

?

뭉게

뭉게

아야야…

이건 또 뜻밖의
사실인데.

각인이
완전하지 않은 데는
필시 이유가 있을 터.

좀 더
관찰해볼까.

삐…
쮸욱

삐
삐삐
삐

각인이
완성되기 전에
빼앗으면 더 좋고.

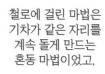
철로에 걸린 마법은
기차가 같은 자리를
계속 돌게 만드는
혼동 마법이었고,

수천 킬로미터가
넘는 철로 전체에
해당 마법을 걸 수
있을 만한 마법사는
극히 드물다….

마법부 장관 측에
마법의 해제를
지속적으로
요청하고 있으나—

그래서,

그 장관이라는
사람은 대체
어디 있다는데요?

모르죠.
장기 휴가
중이라잖아요.
완전히 연락 두절
이라던데요.

와. 공무원이
일을 그렇게
해도 되나?

그러니까요.
그리고 제가 듣기로는
이번 일이 오래가는
데엔 다른 이유가
있다던데.

무슨 이유요?

치안대에 아는 사람이 있어서 주워들은 건데, 원래는 수사 보안국 안에서만 해결하려고 했대요.

그런데 자기들 힘으로 잘 안 되니까 그제서야 마법부에 협조 요청을 했다더라고요.

철도망이 마비된 건 한참 전인데, 일 처리가 그렇게 늦어서야….

흠

아. 그러고 보니 카일이 그랬었지.

마법부의 누군가가 율렘과 접촉한 정황이 발견됐다고….

하 하 하

뭐, 저는 장사가 잘돼서 좋지만요.

두리번…

확실히…

갑자기 철도 운행이 중지된 바람에 많은 사람들의 발이 묶였다.

급한 사람들이 전부 여객선으로 몰리는 바람에 지금은 여객선 표 하나 구하기도 힘들 지경이고…

94

언제쯤 여길 벗어날 수 있는 건지….

아가야, 초콜릿 줄까?

흑흑…

뮤, 받아도 돼.

뮤 달콤한 거 좋아하지?

멀뚱…

뮤. 감사합니다, 해야지.

감사합니다.

아이구, 그래그래.

두통은 언제쯤 낫는 거야.

안녕, 엘리?

좋은 아침이야.

아앗ㅡ!!!!!!

이 쓰레기
스토커 자식!!!

또 오세요~

전엔 당황해서
그냥 내보내기만 했지만,
이번엔 실수하지 않고
치안대에 넘겨주마!

힝…

여자랑 아이가 자고 있는 방에 몰래 들어온 쓰레기 변태 자식!

쓰레기라고 두 번이나… ㅠㅠ

온종일 밥도 안 먹고 방에 틀어박혀 있는 게 걱정돼서 그런 건데…

내가 방에서 나오나 안 나오나 감시하고 있었던 거야???

법의 심판을 받아라, 이 쓰레기 자식!!!

끄아아악 소름 돋아!!

세 번이나….

치안대는 안 되는데…

엘리, 내가 잘못했어. 다시는 안 그럴게.

질질질

치안대만은 정말 안 돼!

법 앞에선 한껏 작아지다니. 졸렬하기 짝이 없구나.

시끌

시끌

레이디,
무슨 일이십니까?

아, 스토커
신고하려고요.
빨리 이 사람 좀
잡아가 주세요.

하...

저런!

아, 제기랄….

엘리─!

응응

휴, 역시
법은 옳아….

레이디.
신분증 좀
보여주시겠습니까?

네?
시, 신분증이요?

예.
신고자의 신원이
확실해야 해서요.

없으십니까?

뜨끔

앗…
그, 그게….

흠…

이 마법 로프,
로랑 마법부에서
인가한 물건이
아닌 것 같은데?

마크가 안
찍혀 있잖아.

엘레오노라 아실이래,

'그' 엘레오노라 아실!

하아…

적당히 정체를 숨겨가며 바투아누까지 왔는데,

내 발로 치안대에 걸어 들어와서 신원을 들키게 되다니…

바보가 따로 없다, 정말…

그러니까 내가 오지 말자고 했지?

이게 다 너 때문이잖아. 쓰레기 같은 놈아.

내 방에 침입한 건 넌데 왜 나까지 체포당해야 하냐고.

너야말로 왜 당당하게 말을 못 해?

내가 엘레오노라
아실이다, 내가
용 알 도둑이다!

안 닥쳐?
그리고 나 알 도둑
아니거든?

대체 언제까지
이 자식이랑 대기해야
하는 거야….

왜
기다려야 하는지
이유도
안 알려주고.

일정에 문제라도
생기면 안 되는데….

102

아이고,
오셨습니까!

먼 길 오시느라
정말로 수고를….

그 여자는
어디 있습니까?

아, 안쪽에서
대기 중입니다.
이쪽으로 오시죠.

신원 불명의
남자랑 왔다고
했죠?

뚜벅

뚜벅

예. 저희 지부에도
신원 인식 장치가
있긴 합니다만…
어째선지 작동이
안 되더군요.

신원 인식 장치로
인식이 안 돼?

웬 어린아이도
함께 있었는데,
격리시키려 했지만
아이가 고집을 부려서
아실 남작과 함께
대기 중입니다.

아이도
신원 인식이 안 됐는데,
겉으로 보이는
학대의 징후는
없습니다.

그렇군요.

103

……

엘레오노라
아실은,

건강해
보였습니까?

예?

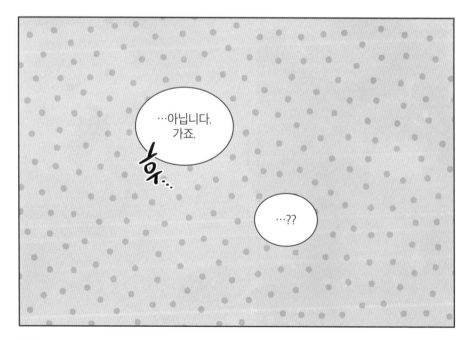

…아닙니다.
가죠.

후…

…??

여깁니다.
들어가시죠.

나 감기도 아직
안 떨어졌는데.

흥...

뚜벅...

감기가 아직도
안 떨어졌습니까?

지,

집사님!

Chapter

08

언제 오신 거예요?
그동안 얼마나
걱정했는데!

미안합니다.

앗

흠흠 흠

장관님.

......

그나저나…. 왜 여기에 계신 겁니까.

자, 장관님?

왜 지금 여기에 계시는지 여쭈었습니다.

장기 출장이라는 명목으로 대체 어디를 가셨나 했더니만….

지난 며칠간 호출에도 전혀 응답하지 않으시고.

어서 수도로 돌아가 주셔야겠습니다.

호출?

그 소리는 뭐야?
계속 울리는데.

아, 호출기.
날 찾는 사람이
오늘따라
좀 많네.

투덜

이럴까 봐
수사 보안국 쪽으로는
발도 들이기
싫었다니까.

투덜

소근...

노아 양.

당신,
마법부 장관과
연이 있었습니까?

중얼...

이...
이럴 수가.

근무 태만…
엄청나다.

저자에게
당신의 정체를
뭐라고
둘러댔습니까?

이미 아실지도
모르겠지만
저자는 엘레오노라의
옛 연인입니다.

기억 상실증이라고
했어요.
대강 믿는
눈치던데요?

저기요~
뭐 좀 물어보고
싶은데.

둘이 언제 그렇게
친한 사이가
된 거예요—?

내 기억으론
못 잡아먹어서
안달이었던 것
같은데.

…안 친합니다.

마, 맞아.
안 친해.

……

농땡이 피우다
딱 걸린 주제에
뭘 그리 따박따박
따지고 들어?

아야,
아야!

팍

팍

빨리 가서
일이나 해.

힐끔…

엘리. 내가 여기서
무슨 사실을
불 줄 알고
그렇게 매정해?

네가 불긴
뭘 불…

헉

?

젠장…!
저 녀석은 뮤가
용이라는 걸
알고 있었지…!

그 사실을
동네방네 떠들었다간,
완전히
사형감이야…!

야, 스토커.

너 그거 어디 가서
말하고 다니면 뮤더러
너 싹 불태워 버리라고
할 거야.

협박하는 것도
귀엽네.
근데 엘레오노라,
진짜 그럴 수
있겠어?

기억을 잃고선
아주 딴 사람이
된 것처럼
순해졌던데.

저렇게 어린
아이한테 사람을
죽여달라고 할 수
있겠냐고.

......

하나만
약속해주면
비밀을 지켜주지.

테제바로 오면,
나랑 지속적으로
만나주는 거야.
일주일에 한두 번
정도?

모든 마법사가
그렇겠지만,
나는 용에 관심이
있거든.

용을 가까이서 보게 해주면, 나는 용의 마력을 안정적으로 다루는 방법을 알려줄게.

툭툭

어때, 두 번째 거래?

……

…생각은 해볼게. 그러니까 일단은 입 다물고 있어.

뭐, 분부대로.

으

쓱

신문 1면에 내 얼굴 실리면 다 네 탓이야. 평생 용은커녕 용 꼬리도 구경 못 할 줄 알아.

알겠어?

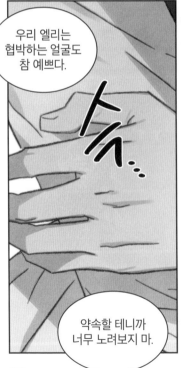

우리 엘리는 협박하는 얼굴도 참 예쁘다.

쓱..

약속할 테니까 너무 노려보지 마.

쯔윽..

…괜찮습니다.
그냥 컵을…

그럼 난 이만!

앗!

혼나기 전에 튀기.

저 자식!

화내기 전에
바로 도망치는 거 봐.
졸렬하기
짝이 없어 아주.

…….

노아 양,
저 좀 보실까요.

네, 네에…?

왠지 불안….

아무리 세상과
단절된 상태로
지내셨다지만,
지난 2년 동안
신문도 안 보고
사셨습니까?

저자는
젊은 나이에
마법부 장관 자리에
오른 것으로도
유명해,

신문에도
얼굴이 자주
실리는데요.

외모로도 유명해서
허구헌 날 신문 1면에
얼굴이 대문짝만하게
실리는데,

저 사람 얼굴을
모르는 게
말이 됩니까?

윽, 으윽.

경이랑
대화하다 보면
제가 굉장히 한심한
쓰레기처럼
느껴져요….

무슨 일이라도
당하셨으면 어쩌려고
그랬습니까.

잘못했어요….

추욱…

하..

열은
어떻습니까?

슥

아직 열이 좀
있긴 한데…

괜찮아요.

…노아 양.

뮤의 마법을 쓰셨군요. 역시 장관과 무슨 일이 있었던 거죠?

어, 어쩔 수 없었어요! 걔가 갑자기 먼저 공격했다구요.

그리고 걔가 제 방에 침입해서 쫓아내려고 뮤의 힘을 약간 빌린 것뿐이에요.

일단 알겠습니다. 큰일은 없으니 넘어가지요.

또각...

우선 노아 양은 호텔로 돌아가 푹 쉬십시오.

내일 오후에 제가 데리러 가겠습니다.

내일 오후에요?

121

내일부터 다시 움직일 겁니다.

여객선을 타고 갈 겁니다. 표는 제게 있으니 노아 양은 얌전히 동행하면 됩니다.

네에?!

내일부터요? 으…

경, 저 뱃멀미 있는데….

의사에게 멀미약을 처방받아 오겠습니다.

바다에서 무슨 일이라도 생기면요?

노아 양과 뮤가 얌전히만 지낸다면 별일 없을 겁니다.

설령 무슨 일이 생긴다 해도 제가 수습하겠습니다.

항ㄲ

네….

그럼 내일 뵈어요, 경.

예.

경, 제 방에서 주무시고 가세요.

예?

122

……

……?

푸핫

…!!!

농담이에요
농담~

내일 뵈어요~

……

우리가 타는 건 주로 귀족이나 부유층이 이용하는 호화 여객선입니다.

편의 시설도 잘 갖춰져 있으니 가는 길이 힘들진 않을 겁니다.

네….

그런데 지금 저 앞에서 신원 확인 중인 거 아니에요?

저 여기 통과할 수 있는 거 맞아요?

괜찮습니다. 제 신원이 확실하니까.

신분증
확인하겠습니다.

우선
신사분부터—

헉,
대장님…!?

여기,
신분증입니다.

툭툭

……!

125

데릭 레너드 씨.
그렇다면
이쪽 숙녀분께서는
레너드 부인이시겠군요.

맞네.

확인
완료되었습니다.
들어가시죠.

수사관이
신분을 위조해도
되는 거예요?

위조한 게
아닙니다.
레너드 공작가의
이름으로 신분을
보장받은 겁니다.

당신도 앞으론
신원을 대야 할 때엔
레너드가의 이름을
대십시오.

신원 조회는
안 되겠지만,
사실 확인 요청은
레너드가의 소관이니
문제 없습니다.

츄릅..

외상 같은 것도
할 수 있는 건가?

오오….

물론
수사 중일 경우에,
레너드의 명예를
훼손하지 않는
경우에만입니다.

정말 필요할 때
쓰라는 거지,
아이스크림 외상이나
사 먹으라고
허락하는 게 아닙니다.

뜨끔

아, 아~
그럼요.
당연하죠.

어떻게
알았지…?

호화 여객선이라더니, 엄청나네요.

5층은 전부 일등석 승객들에게만 허락된 공간입니다. 여러 편의 시설이 있습니다만…

혹시라도 얼굴을 들키면 곤란하니, 5층으로는 올라올 일이 없겠군요.

힝….

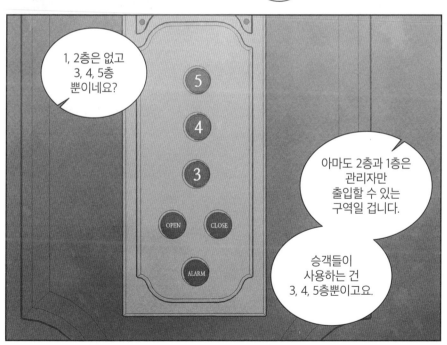

1, 2층은 없고 3, 4, 5층 뿐이네요?

5

4

3

OPEN   CLOSE

ALARM

아마도 2층과 1층은 관리자만 출입할 수 있는 구역일 겁니다.

승객들이 사용하는 건 3, 4, 5층뿐이고요.

맞습니다.
이 중앙 승강기는
승객용이라,
마력 가동실로는
연결되어 있지
않습니다.

츄릅...

안전 문제로
3층에서 5층까지만
운행하죠.

진짜 금은
아니겠지?

따딩

4층입니다.

내리죠.

아, 우리 객실이다.
드디어 좀
쉴 수 있겠어요.

출발하기 전에도
계속 쉬지
않으셨습니까.

아,
오랜만입니다!

발테이어 씨!

왜!!

!

발테이어?
발테이어라면….

아, 캘턴 씨.
여기서
뵙는군요.

이게
얼마만이지요?

제가
가보겠습니다.
들어가 계십시오.

절레
절레

제게 생각이
있어요.

방금 그건 뭡니까?
엘레오노라의
발명품인가요?

네.
라르고의
눈알이에요.

라르고의 눈알.

눈알…?

…?

아, 작동한다.

팟

세잔에 계신 줄
알았는데,
어떻게 여기에
계십니까?

예,
일이 그렇게
됐습니다.

수도로
올라가시려고요?

딸아이가 갑자기
수도로 가야 한다고
조르는 통에….

……!

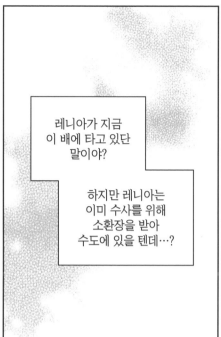

레니아가 지금
이 배에 타고 있단
말이야?

하지만 레니아는
이미 수사를 위해
소환장을 받아
수도에 있을 텐데…?

올해 유독
비가 내리지 않아
농장 경영에
어려움이 많으셨다고
들었습니다.

작년엔
수도의 저택에
한 번도 못
들르셨다지요.

비 내리는 것이야
하늘의 뜻이니
도리가 있겠습니까.

다행히 딸아이가
황성에 드나들며
유통망을
잘 확보해준 덕에
겨우 적자를
면했지요.

또각..

역시. 제가 전에
말씀드렸었지요?
발테이어 영애께서는
사업가의 기질이
있는 것 같다고요.

아, 마침
오셨군요!

영애, 오랜만에
뵙습니다.

툭

경, 이거…

헉…

누군가 감시하고
있다는 걸 알아챈
모양이군요.

그런데 레니아는 이미
수도에서 감시받고 있는
상황 아니었나요?

"실례합니다,
다음 테제바행 기차는
몇 시에 있나요?"

저희가 알아본 바로는
경께서 소렌트로 내려온 날
레니아는 테제바행 기차를
타고 올라갔잖아요.

레니아 발테이어는
수도에 있습니다.

네?

하지만 방금…

수도의 치안관이
비밀리에
발테이어 영애의
소재를 파악했습니다.

그제 아침,
그녀가 수도의
발테이어 저택에서
닷새 이상
칩거 중임을
보고받았지요.

발테이어가에
여식이 둘 인가요?

아니요,
발테이어 백작이
'딸아이'라고 부를 자식은
레니아 발테이어,
한 명뿐인 것이
맞습니다.

그럼 이 배에
타 있는 건 대체….

발테이어 영애의
소재를 파악한 부하는
믿을 만한 녀석이지만…

제 눈으로
본 것은 아니니,
백 퍼센트 신뢰할
수는 없죠.

지금까지 우리가
눈으로 확인한 것은,
레니아 발테이어로
추정되는 여자가
소렌트에 다녀갔다는 것,

그리고 지금
이 배에 우리와 함께
탔다는 것.

......

일이 이렇게 되니
레니아 발테이어가
용의 알을 훔친
범인이 맞는지
확신이 안 서네요…

그리고 레니아는
우리가
지켜보고 있는 걸
아는 것 같아요.

라르고의 눈알을
발로 찬 걸
우연이라고
하기엔 좀….

지난번에
말씀드렸다시피
제가 레니아를
의심하는 이유는
그냥…

제가 읽었던
소설 속에선 레니아가
용의 파트너여서,
그 이유 때문이거든요.

저도 발테이어 영애가
알을 훔친 범인이라고
확정 지어 생각하고
있는 건 아닙니다.

하지만
일이 이렇게 되니,
발테이어 영애도
뭔가를 숨기고 있는
것처럼 보이는군요.

수도에 있는 것은
대역인지, 혹은
제 부하의
실수인 건지.

대역이라면 뭔가
숨기는 것이 있다는
뜻이겠고,
라르고의 눈알을
발로 찬 것도
자연스러운 행동으로
보긴 어렵습니다.

차라리
잘됐습니다.

뭐가요?

당신 말마따나
바다 한가운데에선
도망갈 길이 없죠.

철커...

우선 선장실에 가서
치안대로 무전을
보내겠습니다.

수사 보안국에
레니아 발테이어의
특별 영장을 청구하고,
배가 항구에 도착하는 즉시
체포할 수 있도록.

노아 양.

…용의 존재를
들키지 말라고
했던 것,
번복하겠습니다.

네?

135

노아 양이
생각해야 할 건
딱 하나입니다.

노아 양이 판단하기에
위험한 상황이라면,
뒷일은 생각하지 말고
뮤의 힘을
개방해도 좋습니다.

그 후의 모든
상황은 제가
책임지겠습니다.

당신
자신의 안위.

제… 안위요.

예.

노아는 내가
지켜줄 거예요.

피식…

찰칵...

조용——...

카일 레너드가
돌아오지 않는다.

뮤, 레너드 경이 나갈 때 깨어 있었다고 했지?

어제저녁에 나간 게 맞아? 그 사이에 돌아온 적은 없었고?

없어요. 금방 온다고 했는데….

무전만 보내고 오는데 하루가 꼬박 걸릴 리는 없고….

대체 뭘 하고 있는 거야?

뮤, 혹시 지금 카일이 어디 있는지 알 수 있어?

음… 한번 해볼게요.

배가 마법으로 움직이고 있어서 아저씨의 위치를 모르겠어요.

일단 근처엔 없는 것 같아요.

그렇구나….

혹시 다치기라도
했으면….

무슨 일이
생겼나?

열차 때처럼
우릴 쫓는 사람들을
만난 건가?

걱정돼….

뮤, 카일 아저씨를
찾으러 가자.

여긴 없네….

여기도 없고.

도대체 어디에 있는 거야….

뮤는 언제쯤 돌아올까?

뮤는 3층을 보러 감.

스으으…

두리번

두리번

만나면 한 대 확 쥐어박아 줘야겠어. 두고 보자, 카일 레너드.

아실 남작님.

흐억!!

!

갈색에 가까운
짙은 금발,

차갑지 않은
푸른 눈동자,

작은 체구,

혼자 나와 계시면
위험해요.

이 여자는
설마…

레…

레니아
발테이어?

내가 생각했던
이미지랑은
좀 다르네….

쉿!

목소리 낮춰요.
당신은 안 그래도
눈에 띄는 편인데.

…!

다, 당신…

146

황성에서 용의 알을 훔쳤나요?

앗,

하필이면 뮤가 없을 때 레니아를 만나다니!

뮤와 레니아의 공명을 끊어낼 절호의 기회인데…!

……

…올라오는 길은 하나예요, 남작님.

네?

그게 무슨….

기억하세요. 내려가는 길은 있지만, 그 길로 다시 올라올 수는 없어요.

올라오는 길은 딱 하나.

선원들이 이용하는 비상구뿐이에요.

그게 지금 무슨 소리—

저는 이 말을 하러 왔어요.

덜덜

덜덜

덜…

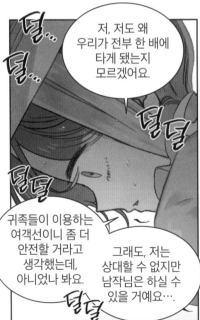

저, 저도 왜 우리가 전부 한 배에 타게 됐는지 모르겠어요.

덜…

덜…

덜덜

덜덜

귀족들이 이용하는 여객선이니 좀 더 안전할 거라고 생각했는데, 아니었나 봐요.

그래도, 저는 상대할 수 없지만 남작님은 하실 수 있을 거예요….

덜덜

제, 제가 용을 가져다 드렸으니까….

구슬처럼 생긴…
제가 눈치채고선
발로 차버렸지만,

설마 같은 배를
탈 줄은 몰랐는데,
들키면 전 죽어요.

구슬?

그거 내가
떨어뜨려 놓은
거잖아!

이번에야말로
죽을 거야….

잠깐,
그건 제가─

역시
용의 알을 훔친 건
레니아가 맞았어!

저기요, 잠시만
진정 좀 하시고…

어제도 그, 그자가
도청 장치를
바닥에 놓은 걸
봤어요.

레니아!

거기서 뭐 하니?
어서
들어오지 않고.

갈게요,
아버지!

남작님, 저 지금은 이야기할 시간이 없어요.

이런 곳에선 금세 눈에 띄어서….

저, 이런 망망대해에 수장되기는 싫거든요.

아니, 수장되기는 무슨!

내일 새벽 3시에서 5시까지, 409호 객실.

문을 열어 놓을게요.

제 할 말만 하고 가서 죄송해요.

하지만 지금은 대답해 드리기 어려워요.

제가 이 배에서 안전하다는 확신이 들면, 남작님께서 궁금해하시는 모든 것들…

전부 알려 드릴게요.

……!

토도도

노아,
3층에 아저씨는
없었어요.

그렇구나….

…….

노아?

바, 방금 레니아를
만났거든.
레니아가 뮤 너를
나한테…

보낸 게 맞는
것 같아.

카일을 누군가에게서
되찾아 오랬고,
내일 새벽에 보자고….

…노아?

…….

…….

151

노아.

울지 마세요….

이럴 땐 어떻게 해야 하는지 모르겠어요.

스슥 스슥

미, 미안, 미안. 꼴사납지? 무섭고 걱정이 돼서….

레니아가 '올라오는 길'에 대해 얘기했는데, 아마도 카일에 대한 말 같아.

아마도 여기보단 아래층에 있을 거야. 우선 엘리베이터를 타고 2층이랑 1층에 가보자.

1, 2층은 직원만 출입 가능한 구역이라고 했으니까, 몰래 움직여야 할 거야.

우선 밤이 될 때까지 기다려야겠어.

이해됐니, 뮤?

네!

혹시 마력을 사용해야 할 때를 대비해 약도 챙겼고,

옷과 신발도 편한 거고,

식사도 했어.

레니아가 말한 '그자'는…

엘레오노라의 죽음과 관련된 사람일 수도 있어. 살인자일 수도 있다는 얘기야.

뮤, 여차하면 마법을 써도 돼. 레너드 경도 허락했고, 약도 챙겼으니까…

괜찮을 거야.

응!

꿀꺽…

뮤, 레너드 경을 구하러 가자!

Chapter

09

밤엔 정말
조용하네.

마담? 밤중에
무슨 일이십니까?
도움이
필요하신가요?

아니에요,
그냥 바깥공기
좀 쐬려고요.

산책용 갑판으로
통하는 문은 이쪽에
있습니다, 마담.

즐거운 시간
보내십시오.

네,
감사합니다.

휴...
다행이다.

뮤, 어서
승강기로 가자.

역시….

뮤, 너도
느껴져?

…응.

끄덕…

배가
멈추었어요.

어쩐지.
방 안에서부터
뭔가 위화감이
느껴지더라니….

언제부터
배가 멈춘 거지?

잘
모르겠어요.

일단 지금은
배 밑에서 마력의
흐름이 느껴지지
않아요.

누가 배를
멈춘 걸까?

혹시 이 배는
처음부터 우리를
노리는 사람들이
장악하고 있었던 걸까?

우린 대체 언제부터
감시당하고
있었던 거지?

161

띵—

레너드 경은
무사할까….

—이 중앙 승강기는
승객용이라,
마력 가동실로는
연결되어 있지
않습니다.

안전 문제로
3층에서 5층까지만
운행하죠.

아래층으로
내려가려면
직원용 승강기를
찾아 타야….

아, 맞다!

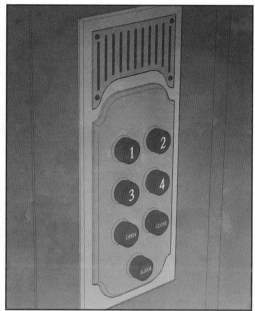

미친…!

어제까진 없던
1층 버튼이 왜…?
직원용 승강기도
아닌데?

뮤, 우리 어제도
이 승강기를
탔었지?

네.

레니아가 했던
말이 바로 이
얘기였나…

기억하세요.

내려가는 길은
있지만,
그 길로 다시
올라올 수는
없어요.

올라오는 길은
딱 하나.

163

갑자기 생긴
1층 버튼.

레니아가 했던
암호 같은 말들….

마치 우리를
아래로 유인하는
것 같아.

그래도 안 갈 수
없지.

철컹

추쿵

뮤, 아래에선 나한테 꼭 붙어서 조용히 다니는 거다?

뭔가 기척이 느껴지면 바로 말하고.

추쿵

추쿵

네!

추쿵

추쿵

레너드 경이 제발 무사하길….

추쿵

추쿵

띵-

……!

핏자국…?

레너드 경이
여기에 왔었던 건
확실해.

저 탄환들…

피의 주인은
누구일까.

이건 마력 가동
장치의 핸들인가?

배가 멈춘 것과
관련이 있는 것
같아.

피, 피가…

……

쿵쿵

아저씨 냄새가
아니에요.

…!

다행이다….

노아.

집중해보면
노아도 느낄 수
있을 거예요.

뭘?

마력의 궤적.

반짝

마력의…

궤적?

마법 탄환을 쓴다더니, 흔적이 남는구나.

핏자국이랑 탄피가 이렇게 많이…

한두 명이 아닐지도….

핏자국은 있는데 사람은 없으니 살아서 도망친 걸로 생각할 수 있겠어.

저기 뭐가 있어요, 노아.

도도도도

?

이게…

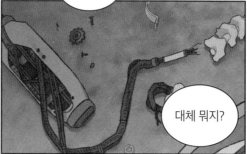

대체 뭐지?

주변에 부서진 장치 같은 건 없는데…

이 잔해들은 어디에 붙어 있던 거지?

두리번

우-웅

덜컹

저 소리는…

승강기 소리…!

타 타 타 타

저기에
숨어야겠어!

샥

부스럭..

—!!!

쉿.

!

꿈지락

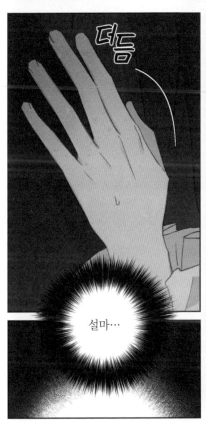

더듬

설마…

레너드 경!

그러다 눈
찌르겠습니다,
노아 양.

펑

내, 내가 얼마나…!

쉿, 쉿.

나중에 들어 드릴 테니까 지금은 쉿 하십시오.

뚜벅

뚜벅

뚜벅

뚜벅

뚜벅

뚜벅

철그럭

뚜벅

뚜벅

두근

……

두근

두근

철그럭

철그럭

!

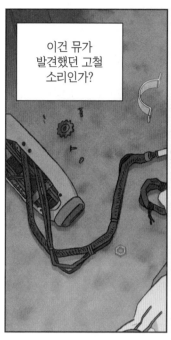

이건 뮤가 발견했던 고철 소리인가?

내려올 수 있을지 걱정했는데, 다행히 잘 오셨군요.

경은 언제부터 여기 있었어요?

방에서 나온 날 저녁부터요. 시간이 얼마나 지났죠?

시계가 부서져서 확인을 못 했습니다.

하루하고 반나절이 지났어요.

생각보다 오래되었군요.

배는 멈췄습니까? 마력기 하나를 부숴버리는 바람에 폭발이 일어날까 봐 차단기를 내려버렸는데.

멈췄어요. 그래서 곧바로 내려온 거예요.

그렇군요. 다행입니…

슥

179

여기
상처 났어요.

그냥 긁힌
상처입니다.

아프지 않아서
상처가 난 줄도
몰랐네요.

그간 식사는
제때 하셨습니까?

지금 할 말이
그거예요?

제가 얼마나
걱정했는데…!

경이
크게 다치기라도
했을까 봐 얼마나
찾아다녔는데요!

……

…혹시 나가는 길은 알고 있습니까?

선원들이 이용하는 것으로 보이는 비상구를 찾았습니다만, 마법으로 잠겨서 저는 접근조차 불가능하더군요.

아.

아마 다른 길은 없을 거예요. 일단 그쪽으로 가요.

뮤, 문에 걸린 마법을 해제할 수 있겠니?

네.

저는 아직 할 일이 남아 있습니다.

노아 양 먼저 올라가 계십시오.

네?

왜, 왜요? 왜 같이 안 올라가요?

아직 잡아야 할 놈이 하나 더 남지 않았습니까.

방금 저 문 너머로 나간 놈 말입니다.

그냥 같이 나가고, 뮤한테 여길 봉쇄하라고 시키면 안 되나요? 저 사람을 여기에 가둬두고, 테제바에 도착하면 바로 수색하면 되잖아요.

증거 인멸의 우려가 있습니다. 저자는 나가는 방법을 알고 있을 수도 있고요.

저쪽으로 쭉 가다 보면 계단이 나올 겁니다.

계단을 반 층 올라가면 철문이 있습니다. 거길 열어주십시오.

거기로 놈을 몰아갈 겁니다.

알겠어요, 다 알겠는데…

뭔가 불안해서….

⋯⋯.

왜 이렇게 불안한 거지?

슥⋯

183

노아 양,
약은 먹었습니까?

방금
웃은 건가?

아뇨, 근데
챙겨 왔어요.
혹시 몰라서….

별일
없을 겁니다.

잘됐군요.

뮤가 마법을
해제할 때 몸에 무리가
갈 수 있으니 약을 먹는 게
좋겠습니다.

후우

네.
어디 보자….

아, 찾았다.

약을 챙겨오길 잘했네요.

......

쿵

쿵

......

뮤,
이제 가자.

응!

그럼
몸조심 하십시오.
뭐 이상한 거 건드려서
사고 치지 마시고요.

제가
뭐 어린앤 줄
아세요?

나 참.

어디 보자….

밖에 나가서
서둘러 레니아 방으로
가면 시간이 맞겠어.

아, 맞다.

경.
시계가 고장났다고
했죠?

이거
받으세요.

경도 몸조심
하세요.

…고맙습니다.

여섯 시까진 일을
마치고 돌아갈 수
있을 겁니다.

여섯 시라고
했어요!

…….

…….

…….

타박

타박

─후.

쿵
쿵

뮤, 어서 와!
서둘러야 해.

응!

후…

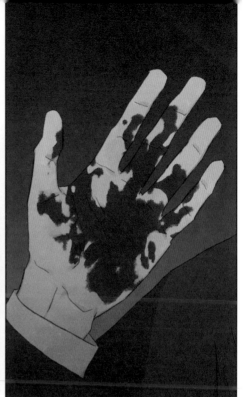

탁

탁

탁…

…피 냄새.

내일 새벽 3시부터 5시, 409호 객실.

문을 열어 놓을게요.

생각보다 아래에서 시간을 너무 지체했어.

뮤, 어서 가자! 나한테서 떨어지지 말고.

네!

……

역시 뭔가 수상해….

노아,
저 문인가 봐요.

오오….

뮤, 마법을
해제할 수
있겠어?

응. 근데…

노아가
괜찮을지
모르겠어요.

…괜찮아!

약 먹었으니까,
적어도 쓰러지진
않겠지.

…응.

속

193

그쪽이야말로 여유 부릴 때가 아닐 텐데?

상태가 안 좋은 건 댁도 마찬가지 아닌가?

당신들이 그렇게 헌신하는 이유가 뭐죠?

당신 몸속의 칩은 제거하면 그만인데.

충성심인가요? 아니면…

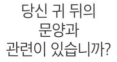

당신 귀 뒤의 문양과 관련이 있습니까?

뚜벅

…잡아.

!

그리고
죽여라!

탕

!!!

그자와
맞붙은 걸까?
별일이 없어야
할 텐데….

찰칵

레니아!!!!!

?

레… 레니아?

남작님…?

뭐예요, 레니아! 당신이 문을 열어놓겠다고 했잖아요!

죄, 죄송해요. 생각보다 늦으시고, 배도 멈춰서 실패하신 줄 알고….

남작님, 안색이…

무, 무슨 일 있으셨어요?

네!!!

당신
때문이기도 해요!
당신이 뮤랑 반쯤
각인하는 바람에
몸 상태가 아주 맛이
갔거든요!

저 숨 넘어가기
직전이니까
공명부터 좀
끊어줘요!

......

빤—

네, 네?

......

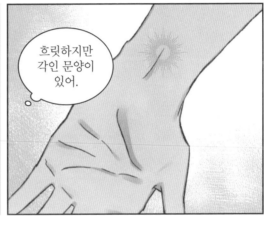

슈우우우우

파아

아앗

사르르르…

!!

신기해.

심장 박동과 호흡이 전부 안정됐어.

혈관을 타고 전신에 힘이 흐르는 것 같다.

팟…

나…

남작님…?

혁…

이,

이 새끼가…!!!

두리번

더듬

더듬

이런 상황에
증거품을 없애려
하다니….

더듬

더듬

그만하십시오.
더 움직였다간
출혈로 죽을 겁니다.

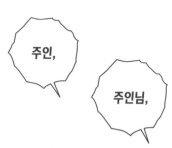

주인,

주인님,

주인님…!!!

사락..

당신이 이자의
주인입니까?

컥…

…….

가면…?

샤아아아아

아니면…

당신도
기계 덩어리에
불과한가?

......

저건….

멈칫

Chapter

10

나, 남작님.
괜찮으세요?

......!

......

......

컨디션이
완전 최고야!!!

…굉장해.

히…

히이익.

레니아?
왜 그래요?

스

훙

힘이 너무
갑자기 넘쳐나서
제어가 하나도
안 돼…!!!

으아앙

미안해요,
레니아!

해치려던 건
아니었ㅡ

노아!

포

옥

노아 힘이
돌아왔어요!

이제 노아가
나 때문에
아프지 않아도
돼요!

방긋

뮤….

찌잉…

계속 신경 쓰고
있었구나.

저희가 분명히
총소리를
들었다니까요!

웅성

웅성

이런, 일등실
승객들도 많이
깨어난 것 같네.

레니아는 제대로 된
대화를 할 수 있는
상태가 아닌 것 같아…

하려던 얘기가
뭐였는지는
이따가 물어봐도
되겠지.

덜
덜
덜

응!

레니아,
이따 다시 올게요.
그동안
몸조심해요.

아무나
문 열어주지
말고!

탁…

덜덜

덜덜덜

괘, 괜찮아…

이젠
목숨만은…
목숨만이라도…

덜
덜…

남작님이
그자를
막아주실 거야….

뚜벅

뚜벅

히, 히익!

뚜벅

뚜벅

저, 저, 저거
엘레오노라 아실
아니야?

뚜벅

덜
덜

덜

쉬, 쉿!

뚜벅

뚜벅

뚜벅

정말…

귀찮게 됐네.

각인을 완성한 뒤부터 마주치는 사람들마다 족족 얼굴이 파랗게 질려서 날 피하고 있어….

으으 부담스러워

히익

덜덜

덜덜

덜덜

평소에도 엘레오노라를 알아보는 사람들은 종종 있었지만…

이제 용과 각인한 사람의 아우라… 뭐 그런 건가?

뚜벅…

반짝

띵──

와, 마법이란 거… 좋긴 좋구나.

끼익

각인이
완성돼서 그런가?

뮤가 원하는 게
뭔지 너무 쉽게
알 것 같다.

아마
뮤도 내 기분이
잘 느껴지겠지.

우리 둘 다
불완전한 각인 때문에
그간 많이
답답했나 보다.

그냥 따뜻한 코코아
한잔 마시고
늘어지게 자고 싶다.

자고 일어나선
집사님이 데워준
목욕물에 따끈하게
목욕하고,

씻고 나오면 맛있는
아침 식사가 짠, 하고
차려져 있었으면….

…동이 트네.

저기가 좋겠다.

올라가고 싶어.

!

저게 대체….

사뿐..

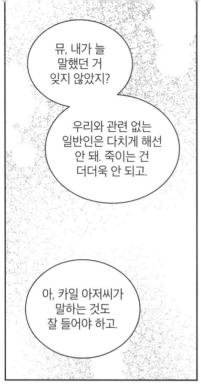

뮤, 내가 늘 말했던 거 잊지 않았지?

우리와 관련 없는 일반인은 다치게 해선 안 돼. 죽이는 건 더더욱 안 되고.

아, 카일 아저씨가 말하는 것도 잘 들어야 하고.

응. 지킬 수 있어요.

끄덕

가서 아저씨를 도와, 뮤.

환각제?

젠장,
고작 이런 걸로
놓치는 건가?

범인을 코앞에
두고….

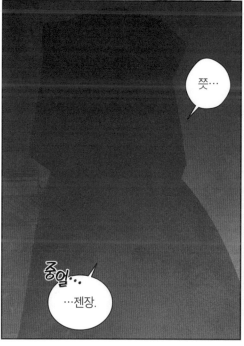

쯧…

중얼…

…젠장.

……!

저 녀석…

!!!

이번엔 또
무슨…!

—공기가
바뀌었어.

나는 이 감각을
느껴본 적이 있다.
언제였지?

대체 언제?

그건…

탁

탁

탁…

미쳤…!

박노아!

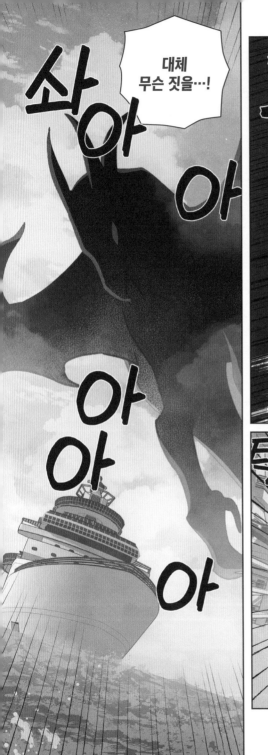

…정말이지,

하아

하루라도
말썽을 안 부릴
수는 없는 건가?

그래도,

휘
이
잉

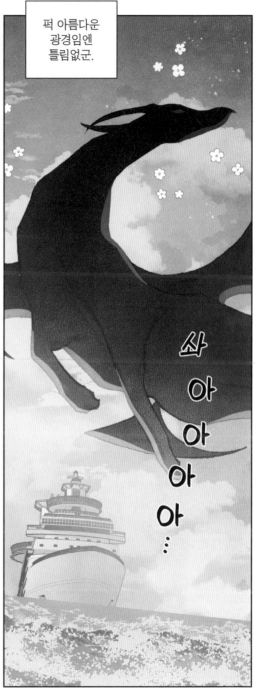

퍽 아름다운
광경임엔
틀림없군.

싸
아
아
아
…

뮤이엘!

이리 올래?

그거 뱉어!
설마 삼킨 건
아니겠지?

!

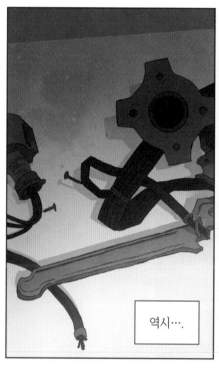

역시….

기동실에서도,
나는 분명
사람을 봤다.

하지만
정신을 차려보면
그곳엔 기계의
파편만이 떨어져
있었다.

혼동 마법인가?
하지만 혼동 마법은
엘레오노라 아실조차
고전했던
고난도 마법이다.

율렘의 하수 따위가
가질 만한 힘은 아니다.

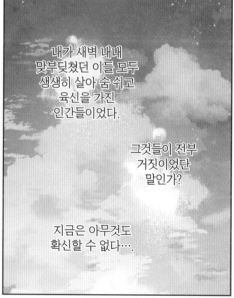

내가 새벽 내내
맞부딪쳤던 이들 모두
생생히 살아 숨 쉬고
육신을 가진
인간들이었다.

그것들이 전부
거짓이었단
말인가?

지금은 아무것도
확신할 수 없다….

무서워하실 거면서 저런 덴 왜 올라가신 겁니까.

치익-

저도 몰라요! 그땐 저도 모르게 그런 거라고요.

정신 차려보니 높은 곳에 있는 걸 어떡해요.

당신은 참…

팟-

참 뭐요?

결국은 각성해버렸네….

제대로 다루지도 못할 힘을 가져봤자 좋을 게 없을 텐데.

내가 성급했어. 설마 몰랐지, 불안정한 각인이 발테이어 백작 영애 때문일 줄은….

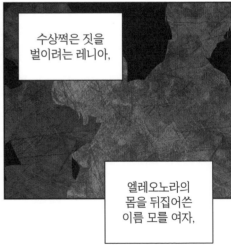

수상쩍은 짓을 벌이려는 레니아,

엘레오노라의 몸을 뒤집어쓴 이름 모를 여자,

수보국 총괄 대장….

이 셋을 한 공간에
몰아넣을 기회는
쉽게 오지 않겠지.

그렇다면
한 명씩
처리하는 수밖에.

흑...

흑흑...

흑흑...

네가 여기서 죽어도
알아챌 사람은
아무도 없다는 거,

알지?

흑흑...

그렇게 왜
바보 같은 짓을
한 거야.
유감이다.

레니아
발테이어.

흑...

덜덜

덜덜덜

흑...

흑흑...

후—욱

후—욱

어, 어, 어,
언젠,

후—욱

후—욱

어,
언젠가는,

언젠가는
잡힐—

생각보다
시간이
지체됐네.

휴...

웅성

웅성

꾸욱

웅성

이크.

!

야, 너!

여기서
뭐 하는 거야!

한참
찾았잖아!

네, 갑니다!

몸은 좀 괜찮습니까?

그냥 괜찮은 정도가 아니라, 완전 최고예요!

뮤는 도착할 때까지 비행을 즐기는 중.

좀 쌀쌀하네, 창문 좀 닫을까….

으…

끼익

콰

앙

······

…섣불리 뭘 하고 싶다거나, 누군가를 어떻게 만들고 싶다는 생각을 하지 않도록 주의하셔야겠습니다.

하하…

그게 마음대로 될지 저도 잘 모르겠는데요…

제 정신력이 그렇게 강하지 않아서….

우선 푹 쉬고 평화로운 생각만 하십시오.

자.

슥

와— 코코아!

맛있겠다.

쿵쿵

……?

발테이어 백작과 영애는 보호를 핑계로 선실에 가두었습니다.

테제바에 도착하면 바로 수사 보안국으로 입송할 예정이고, 배도 즉시 수사할 겁니다.

무슨 냄새가 났는데….

…왜
그렇게 봅니까?

빤-

경, 가까이
와보세요.

…아드리안 로시넬에겐
우선 지금까지처럼
엘레오노라 행세를
하는 게 좋겠습니다.

무시?

경—
제 말 안 들려요?

그럼 저는
갑판의 상황을
살피러 이만….

변

어쭈, 피해?

쩍

쾅

찰칵

잠깐, 뭐 하자는 거—

쿵쿵쿵쿵쿵

쿵쿵쿵쿵

쿠

웅

지금 이게
무슨···

툭
툭

!!!

왜 이러시는
겁니까?

팍

뭐 문제라도
있습니까?

소독약 같은
냄새가 나서···.

새벽에 있었던
소동으로
부상을 입은 승객들이
있습니다.

그들을 치료하는
현장을 살피고 오느라
소독약 냄새가
배었나 보죠.

그렇구나….

경, 얼굴에 상처가 꽤 깊어요.

괜찮은 거예요?

카일 레너드.

자기가 잘난 줄 아나본데,

계속 그런 식으로 굴다간 후회하게 될걸요.

가동실에
기계 파편이
많았어요.

경이 쏜 것처럼
보이던데요.

대체 뭘
쏘신 거예요?

가동실에 있는
기계에서 떨어져 나온 것
같지 않은 이질적인
모양이었어요.

노아 양도
보셨군요.

저는 살아 있는
사람을 쏬습니다.

사람?

쏘기 전에는
인간처럼
보였습니다.

혼돈 마법에
당한 것으로 생각하면
말이 됩니다만
걸리는 점이
있습니다.

혼동 마법은 고난도의 마법으로 알려져 있습니다.

엘레오노라 아실 같은 천재 마법사도 고전했던 마법입니다.

그래서 혼동 마법이라고 확신하기 어려운 상황입니다.

엘레오노라도 어려워했던 고난도 마법이라….

그 금발은 할 수 있을까?

그렇게 젊은 나이에 마법부 장관 자리에 올랐으니 실력자일 것 같은데.

오는 길 기차에서 추격자들을 처리할 때에도 아주 조용했고…

뭐 어떻게 처리했는지는 모르지만.

후….

힐끔

241

저 몸속에
들어 있는 사람이
엘레오노라 아실이
아니라는 건
분명히 알고 있는데도,

엘레오노라 아실의
얼굴을 보고 있자니
본능적으로 거부감이
드는 건 어쩔 수 없다.

쌀쌀맞게
대해버리는 것 같아
미안하군….

노아!

화

악

뮤!
빨리 돌아왔네?

응!
땅이 보여서요!

노아가
땅이 보이면
돌아오랬어요!

쏴아아...

뚜벅

대장님!

뚜벅

페넬로페.

와아—

카일의 부하인가?

차량 대기시켜 두었습니다.

미인이다.

난 차에 먼저 타야겠…

아실 남작.

뚜벅

?

무장 해제를 요청합니다.

무장 해제?

아, 뮤를 말한 거였나.

…….

빤-

움찔

내가 확인했다, 페넬로페.

안전은 내가 보장하지.

수

…!!! 하지만,

대장,
진심인 겁니까?

상대는
아실 남작이라고요
……!

페넬로페.

남작을
자극하지 마라.

고오오오

우르릉…

쿠구구구구

섬칫

……

……

탁

제가 아무 생각도
하지 말라고
말씀드렸잖습니까…

그게 제 맘대로
되는 게
아니라고요…!!!

…노아 양.

부응-

용의 힘을 조절하는 게 어렵다는 것은 알겠습니다만,

계속 이런 식이면 제가 당신 편을 들어드리기 어려워집니다.

하아…

아무 생각 안 하려고 했어요, 했는데…

페넬로페? 그 여자분이 절 적대해서, 뮤가 짜증 났나 봐요.

그랬더니 저도 왠지 감정을 조절하기가 어려워져서….

노아를 노려봤어요!

뮤, 너무 화내지 않아도 돼 난 괜찮아….

하….

떱

쓱

일단 뮤는 제가 안고 있겠습니다.

자꾸 붙어 있어서 영향이 더 커지는 것일 수도 있으니까요.

우….

빤─

?

꼬옥♥

!

뭐야,
둘이 언제부터 그렇게
사이가 좋았어요?

뮤, 아저씨가
나 몰래 사탕이라도
줬어?

절레

절레

노아가
좋아하는 사람은
뮤도 좋아요.

······

······.

······.

조용-

저, 정말 뮤랑
떨어져 있으니
마력을 조절하기
더 쉬운 것 같네요.

흠흠

크흠

그, 그렇군요.
평상시에 너무
붙어 있지 않는 것도
방법이겠군요.

도착했습니다.
수사 보안국입니다.

와—
크다.

아,

그 가방은
제가 들어도—

!

헉…!

죄, 죄송합니다, 남작님…!

소, 소, 손이 미끄러져서…

정말 죄송합니다, 시, 실수였습니다.

죄송합니다, 죄송합니다…!

아, 아니 괜찮은데요….

가, 감사합니다, 남작님.

죄송합니다, 감사합니다.

무릎까지 꿇고 사과하다니…

그렇게까지 할 일인가?

소근

당신은 '엘레오노라 아실' 이니까요.

아실 남작은 자기보다 아랫것이라고 생각하는 자들을 홀대하고 희롱하던 인물입니다.

세상 사람들 전부를 자기보다 아래라고 생각했던 것 같지만요.

와….

엘레오노라는 대체 어떤 사람이었던 걸까?

엘레오노라가 했던 짓들을 들어보면 희대의 사이코가 따로 없지만

아드리안은 엘레오노라를 많이 좋아하는 것 같던데….

아드리안은 대체 그 사이코의 어디가 그렇게 좋았던 거지?

─끼리끼리,
뭐 그런 건가?

254

아실 남작! 오랜만이군.

재무 장관입니다.

아, 자네도. 수보국 총괄 대장,

…오랜만에 뵙습니다.

남작은 여전하시군요.

부끄러움을 아는 여자라면 로시넬 장관이 있는 수도로 다시 돌아올 생각도 못 했을 텐데.

부끄러움을 아는 여자?

그 뻔뻔함은 저도 닮고 싶을 정도입니다.

민망한 시늉 한번을 안 하시는 게 참 놀랍네요.

하하

뻔뻔해?

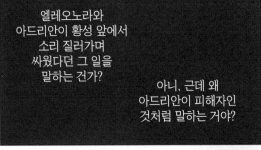

엘레오노라와 아드리안이 황성 앞에서 소리 질러가며 싸웠다던 그 일을 말하는 건가?

아니, 근데 왜 아드리안이 피해자인 것처럼 말하는 거야?

이 아저씨는 무슨 자격이 있어서 나한테 시비를 걸지?

아… 진짜.
짜증 나네?

뚜벅

황제 폐하를
뵙습니다.

편하게
있게나.

화, 황제?

헉…

막 보고를
올리려던 참인데,
벌써 황성에까지
연락이 갔을 줄은
몰랐습니다.

사안이 사안인데.
배가 항구에 닿았다는
소식을 듣자마자
곧바로 왔지.

황제한텐 뭐라고
인사해야 되지?

아,
안녕하세요?

인사할
타이밍을 놓침.

…….

제발 아니기를
바라고 또 바랐건만.

결국 그대가
리자베르제뉴어의 알을
부화시킨 장본인이군.

앗, 아···

그게···.

아실 남작!
어느 안전이라고
건방을 떠십니까.

폐하의 명에
곧바로 대답하지
않고!

빠직···

이 아저씨는
아까부터 왜
나한테만 시비야?

노아 양.

'부끄러움을 아는
여자'라느니,
뻔뻔하다느니,

그냥,

흑막 용을 키우게 되었다 2

초판 1쇄 인쇄 2023년 11월 7일
초판 1쇄 발행 2023년 11월 24일

글 · 그림 소탄
원작 달슬
펴낸이 정은선

책임편집 이은지
표지 디자인 우물
본문 디자인 (주)디자인프린웍스

펴낸곳 (주)오렌지디
출판등록 제2020-000013호
주소 서울특별시 강남구 선릉로 428
전화 02-6196-0380 **팩스** 02-6499-0323

ISBN 979-11-7095-086-8 07810
     979-11-7095-084-4 07810 (set)

www.oranged.co.kr